Alice Caron Lambert

Saveurs ✿ Senteurs ✿ Couleurs

Potages, hors-d'œuvre et amuse-gueule avec des fleurs

Photographies de Jacques Boulay
Stylisme de Cooky Debidour

Directeur de collection
Yves Le Floc'h Soye

SOLAR

Responsable éditoriale : Corinne Césano

Assistant d'édition : Serge Gras

Direction artistique et réalisation
Guylaine & Christophe Moi

Photogravure : Quat'Coul, Toulouse

© Éditions Solar, 2002
ISBN 2-263-03140-5
Code éditeur S03140
Dépôt légal : février 2002
Imprimé en France par Pollina s.a., 85400 Luçon - n° L83017

sommaire

avant

propos

Ce livre vous ouvre la porte du jardin et vous donne l'occasion de renouer d'une manière délicieuse avec la poésie de ce que la nature compte de plus beau et de plus sensuel : les fleurs…

Par leurs formes délicates, leurs couleurs éclatantes, leurs subtiles ou entêtantes senteurs, elles vous séduisent déjà. Or, les fleurs, pour bon nombre d'entre elles, sont aussi un monde de saveurs, un univers gourmand qui ne cesse d'enrichir le répertoire gastronomique. Cependant, il ne faut pas croire que cette cuisine soit réservée aux grands chefs : elle est simple et parfaitement naturelle.

Héritée de traditions ancestrales d'ici ou d'ailleurs, ou née de fantaisies gourmandes inédites, la cuisine avec les fleurs est un enchantement, un raffinement inégalable à la portée de tous. Elle conjugue tous les plaisirs, celui des yeux, celui du nez et celui du palais ; diététique, elle permet de profiter, dans un festival de couleurs et d'arômes, des vertus bienfaisantes des fleurs reconnues depuis longtemps.

Chaque ouvrage de la collection vous propose une sélection de fleurs comestibles à partir desquelles sont élaborées des recettes originales, qui raviront vos convives et feront de votre table le plus beau et le plus savoureux des bouquets.

Alice

AVERTISSEMENT AU LECTEUR   Toutes les fleurs ne sont pas comestibles. Vous trouverez page 62 la liste des espèces à proscrire de vos préparations culinaires. D'autre part, ne consommez jamais des fleurs vendues chez les fleuristes (l'eau des vases contient très souvent des conservateurs nocifs pour la santé). Préférez-leur les fleurs des champs, celles de votre jardin, de vos jardinières ou de vos pots, celles que vous trouverez dans des barquettes sous vide au rayon des produits frais au supermarché, ou encore celles vendues en jardinerie – dans ce cas, il faudra attendre sept jours avant de les consommer ; en effet, des engrais ou insecticides ont pu être utilisés, et la rémanence des engrais dure trois jours au moins.

portraits

de fleurs

Quelles sont les fleurs comestibles qui permettent de composer les potages et les soupes les plus délicieux ? Quelles sont celles qui embellissent et agrémentent le mieux les hors-d'œuvre, qui rendent les amuse-gueule encore plus appétissants ? Vous allez le découvrir grâce à ces portraits de fleurs. Vous y trouverez, pour chaque plante utilisée dans les recettes que nous vous proposons, ses noms botanique et familier, la description de sa fleur, son époque de floraison, son parfum et sa saveur, ses bienfaits et la meilleure façon de la cuisiner.

NOM BOTANIQUE
Achillea millefolium

Achillée millefeuille

FLEUR minuscules fleurs,
de blanc à rouge cerise

FLORAISON de juin à septembre

PARFUM ET SAVEUR les feuilles et les capitules de fleurs ont un parfum aromatique lorsqu'on les froisse ; saveur amère

BIENFAITS la plante est connue pour ses propriétés cicatrisantes et tonifiantes. Elle calme les crampes et les spasmes, arrête les hémorragies, stimule la vésicule biliaire

❋ EN CUISINE toutes les variétés d'achillée sont comestibles. Elles peuvent être utilisées dans les salades, les plats de légumes et de viande, les omelettes…

NOM BOTANIQUE
Allium ursinum

Ail des ours

FLEUR six petites fleurs d'un blanc pur groupées en ombelle lâche au sommet de la tige

FLORAISON avril-juin

PARFUM ET SAVEUR d'ail sucré, assez prononcé chez les feuilles

BIENFAITS l'huile essentielle que l'on en extrait a des propriétés hypotensives, antiseptiques et vermifuges, semblables à celles de l'ail. La plante est riche en vitamine C

❋ EN CUISINE il s'utilise comme la ciboulette sur les tomates et les préparations de légumes. Quelques fleurs et feuilles peuvent aromatiser une soupe. Les fleurs hachées relèvent fromages blancs et vinaigrettes

NOM BOTANIQUE
Aster sp.

Aster

FLEUR en forme de marguerite à cœur jaune ; divers coloris : bleu, mauve, rose, lilas, parme…

FLORAISON de juillet à l'automne

PARFUM ET SAVEUR plante mellifère, odeur de miel, peu de saveur

BIENFAITS la poudre de racine de *A. ciliioratus* est signalée dans la pharmacopée pour ses propriétés cicatrisantes ; en décoction et filtrée, elle est un excellent collyre

❋ EN CUISINE les pétales agrémentent les salades

NOM BOTANIQUE
Begonia gracilis

Bégonia

FLEUR blanche, rose ou rouge
FLORAISON été et automne

NOM BOTANIQUE
*Begonia x tuberhybrida
Madame 'Heathey'*

Bégonia tubéreux

FLEUR en forme de rose,
dans des teintes de blanc, rose,
rouge, jaune, parfois bicolore
FLORAISON de juin à septembre

PARFUM ET SAVEUR pas de parfum, mais une saveur piquante,
acidulée, rafraîchissante

BIENFAITS pas de bienfaits connus

❀ EN CUISINE fleurs, feuilles et tiges sont comestibles. On
peut les préparer en beignets, les faire revenir au beurre, les
mélanger à des légumes, les cuire à la vapeur. Les pétales frais
émincés aromatisent les sauces, comme la mayonnaise

PARFUM ET SAVEUR pas de parfum ; saveur acidulée, légèrement piquante

BIENFAITS aucune propriété particulière

❀ EN CUISINE cuite à la vapeur, en beignet ou dans une soupe,
ou crue, coupée, en lamelles, pour agrémenter les salades et
les sauces (idéale dans une sauce au fromage blanc en accompagnement de légumes crus)

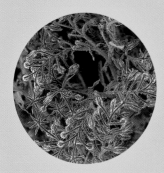

NOM BOTANIQUE
Borago officinalis

Bourrache

FLEUR bleue, à étamines noires
FLORAISON mars à octobre

NOM BOTANIQUE
Brassica napus

Colza

FLEUR jaune vif
FLORAISON avril à juin

PARFUM ET SAVEUR saveur de concombre, avec des notes fleuries

BIENFAITS l'infusion de feuilles et de fleurs, tonifiante diurétique, permet de lutter contre le stress, le rhume ; elle est
recommandée après un traitement à base de cortisone et de
stéroïdes. La bourrache combat la fièvre, la toux sèche ; elle
stimule la lactation

❀ EN CUISINE les fleurs aromatisent les salades et les fumets
de poisson ; hachées finement, elles parfument mayonnaises,
sauces au fromage blanc, vinaigrettes

PARFUM ET SAVEUR parfum très prononcé, presque désa-
gréable. Saveur suave, avec des notes de rave et de miel

BIENFAITS les feuilles sont riches en vitamines A, B1, B2 et C.
La plante soulage les douleurs nerveuses, tonifie, facilite la
digestion. Attention aux insecticides : mieux vaut cueillir des
plants réensemencés

❀ EN CUISINE fleurs et feuilles crues ou cuites, sont déli-
cieuses dans les gratins, les salades, les sauces pour poissons

NOM BOTANIQUE
Brassica nigra

Moutarde noire

FLEUR jaune à quatre pétales, en bouquet

FLORAISON été

PARFUM ET SAVEUR odeur de chou, saveur poivrée douce

BIENFAITS les graines activent la circulation du sang ; en cataplasme sur la poitrine, elles décongestionnent les bronches ; sur les articulations, elles soulagent les rhumatismes et les engelures. Les feuilles et les fleurs sont bienfaisantes pour l'estomac et la vessie

❋ EN CUISINE les fleurs fraîches, hachées, aromatisent huîtres, terrines de viande, farces aux herbes, vinaigrettes, salades et légumes. Elles se conservent longtemps

NOM BOTANIQUE
Calendula officinalis hybr.

Souci

FLEUR capitule orange ou jaune, pétales doubles

FLORAISON de mai à l'automne

PARFUM ET SAVEUR sucrés et légèrement amers

BIENFAITS il apaise les douleurs d'estomac et stimule le foie ; antiseptique et antifongique

❋ EN CUISINE les pétales frais ou séchés du souci, autrefois surnommé « herbe de toutes les soupes », agrémentent omelettes, salades vertes, légumes, vinaigrettes et sauces. Les fleurs entières parfument les soupes (couper le pédoncule, plus amer) et l'eau de cuisson du riz, qu'elles colorent. Les boutons floraux se conservent confits dans le vinaigre

NOM BOTANIQUE
Centaurea cyanus

Bleuet, barbeau

FLEUR bleu profond

FLORAISON été

PARFUM ET SAVEUR peu prononcés

BIENFAITS les fleurs sont légèrement antiseptiques et stimulantes. L'infusion de fleurs et de feuilles facilite la digestion, soulage les rhumatismes

❋ EN CUISINE les producteurs de fleurs comestibles cultivent le bleuet patriote (bleu, blanc, rouge), qui décore plus qu'il n'aromatise les mets. Ses pétales agrémentent les salades vertes, les glaces, les sorbets, les tisanes

NOM BOTANIQUE
Chrysanthemum
(multiples variétés)

Chrysanthème

FLEUR grosse tête en forme de marguerite ou de pompon, multiples coloris

FLORAISON été et automne

PARFUM ET SAVEUR les notes balsamiques, de carotte, de moutarde noire, de fumée et de miel dominent

BIENFAITS en Chine, les fleurs de *C. indicum* entraient autrefois dans la composition d'un élixir d'immortalité

❋ EN CUISINE les pétales des gros chrysanthèmes des fleuristes sont plus indiqués pour les soupes, comme ceux de *C. brasier* (bordeaux à revers or, à la saveur de viande fumée). Les fleurs peuvent être préparées en beignets ; les pétales conviennent aux salades, sauces au fromage blanc, légumes, vinaigrettes

NOM BOTANIQUE
Dahlia (multiples variétés)

Dahlia

FLEUR en capitule ; multiples
coloris, du blanc au rouge sombre

FLORAISON fin de l'été
et automne

PARFUM ET SAVEUR en général, les variétés à fleurs blanches
sont plus douces, avec une saveur florale, tandis que celles à grandes fleurs rouge pourpre ont un goût plus fort, balsamique

BIENFAIT aucun en particulier

❀ EN CUISINE les dahlias pompons se préparent en beignets
salés. Les pétales blancs assez larges et longs peuvent être
cristallisés. Les variétés à saveur relevée aromatisent vinaigrettes, légumes, farces. Pour les soupes, les crustacés et les
poissons, les dahlias jaunes ou roses sont plus appropriés

NOM BOTANIQUE
Daucus carota

Carotte sauvage

FLEUR ombelle de petites
fleurs blanc crème, pourpres
au centre

FLORAISON printemps et été

PARFUM ET SAVEUR de carotte

BIENFAITS en infusion, feuilles et fleurs sont un diurétique et
un antiseptique des voies urinaires

❀ EN CUISINE on obtient des boissons parfumées en faisant
macérer des ombelles et quelques feuilles dans de l'eau, de l'al-
cool ou du sirop. Les fleurs peuvent également agrémenter une
salade de carottes cuites au cumin, les salades vertes, les vinaigrettes, et les infusions

NOM BOTANIQUE
Eruca sativa

Roquette

FLEUR petite, crème veinée
de pourpre

FLORAISON avril à juin ;
se ressème et refleurit
à l'automne

PARFUM ET SAVEUR parfum miellé, de chou. Saveur rafraîchissante, légèrement poivrée, évoquant la noisette

BIENFAITS les feuilles sont diurétiques, la fleur est apéritive

❀ EN CUISINE les fleurs aromatisent les vinaigrettes, la mayonnaise et les sauces en tout genre, les légumes cuits et crus, le
sel. En Inde, l'huile extraite des graines participe aux mari-
nades. La plante se cuit comme un légume ou se consomme
crue en salade

NOM BOTANIQUE
Fuchsia fulgens

Fuchsia

FLEUR clochettes juponnées
aux tons variés : rouges,
violets, blancs, roses, bleus…

FLORAISON juillet à octobre

PARFUM ET SAVEUR arôme floral. Saveur de pois sans le goût
sucré

BIENFAIT aucun bienfait particulier

❀ EN CUISINE au Mexique, toute la plante est consommée
– tiges, feuilles et fleurs. On la cuisine en salade ou cuite
comme de l'oseille

NOM BOTANIQUE
Helianthus annuus

Tournesol

FLEUR capitule en forme
de soleil à pétales jaune d'or
et cœur marron ou noir

FLORAISON été

PARFUM ET SAVEUR les fleurs ont un parfum miellé ; les boutons floraux et les pétales ont un goût d'artichaut

BIENFAITS les graines sont diurétiques et expectorantes ; elles
combattent les maladies infectieuses de l'intestin et soulagent
les inflammations du foie

❀ EN CUISINE les fleurs peuvent être cuites avec des légumes,
frites ou revenues à l'huile. Les boutons floraux se préparent à
la vapeur, en gratin. Les pétales hachés parfument les farces,
les purées, les salades…

NOM BOTANIQUE
Lamium masculatum «Album»

Lamier blanc,
ortie blanche

FLEUR en verticille, blanche

FLORAISON début du printemps
à l'hiver

PARFUM ET SAVEUR parfum vert

BIENFAITS en décoction, la plante fleurie stimule la circulation
du sang, améliore l'élasticité des vaisseaux sanguins, tonifie les
organes génitaux, diminue les règles trop abondantes,combat
les cystites

❀ EN CUISINE fleurs et feuilles se mangent comme un légume. Elles aromatisent les potages, les légumes, les salades, les
sauces aux herbes

NOM BOTANIQUE
Monarda didyma

Monarde,
bergamote

FLEUR tubulaire,
pourpre ou rose, avec des
bractées rouges

FLORAISON juin à septembre

PARFUM ET SAVEUR de bergamote ; *M. citriodorata*, *M. pectina*
et *M. fistulosa* dégagent une odeur de citron et d'origan ; celles
de *M. menthifolia* et *M. punctata* sont mentholées

BIENFAITS la plante contient un antiseptique, le thymol, effi-
cace en lotion sur les imperfections du visage. En infusion, elle
combat les nausées. Les feuilles macérées dans l'huile servent
au soin du cuir chevelu

❀ EN CUISINE en infusion ; fraîches, pour aromatiser boissons, crèmes, glaces, gâteaux secs, agneau, terrines de lapin ;
séchée et moulue, comme épice avec les viandes

NOM BOTANIQUE
Primula acaulis

Primevère acaule

FLEUR simple ; coloris variés
FLORAISON de mars à mai, novembre jusqu'aux gelées

PARFUM ET SAVEUR de miel

BIENFAITS feuilles et fleurs éliminent les toxines du sang. La tisane de fleurs est sédative et apaise les maux de tête

❀ EN CUISINE elle s'utilise dans les soupes, confitures, salades, vinaigrettes ; les pétales ou les fleurs entières peuvent être cristallisés au sucre pour décorer les pâtisseries ; les fleurs séchées réduites en poudre, sont ajoutées à la farine des gâteaux

NOM BOTANIQUE
Primula officinalis

Coucou

FLEUR ombelle de longues clochettes jaunes
FLORAISON mars-avril

PARFUM ET SAVEUR parfum sucré, de miel floral ; saveur semblable

BIENFAITS les pétales sont sédatifs, ils diminuent la production d'histamine et détruisent les radicaux libres, réduisent les spasmes et les inflammations. En tisane, ils combattent les maux de tête, le sommeil agité, le rhume. Toute la plante, y compris ses racines, est utilisée en pharmacopée

❀ EN CUISINE fleurs et feuilles aromatisent soupes, purées de légumes, farces, mayonnaise, crèmes, sirops, vins

NOM BOTANIQUE
Rosa (multiples variétés)

Rose

FLEUR simple, semi-double ou double, à pétales ; multiples coloris
FLORAISON de mai aux gelées

PARFUM ET SAVEUR floraux, fruités, épicés, balsamiques, de sous-bois, de vétiver, de pomme verte, d'encens, etc.

BIENFAITS en aromathérapie, la rose est connue pour son action astringente et rajeunissante sur la peau

❀ EN CUISINE les pétales agrémentent les salades ou peuvent être cristallisés au sucre. L'eau, le sirop et l'essence de rose aromatisent desserts et boissons. Les petites roses, séchées et réduites en poudre, peuvent être utilisées comme épice

NOM BOTANIQUE
Spiraea ulmaria

Reine-des-prés

FLEUR inflorescence mousseuse blanc crème

FLORAISON mai à août

PARFUM ET SAVEUR anisé, évoquant l'amande et le miel

BIENFAITS les boutons floraux contiennent de l'acide salicylique, dont la synthèse donne l'aspirine. La plante entière est bénéfique pour l'estomac. La tisane de fleurs est diurétique, antiseptique, antalgique et anti-inflammatoire

❋ EN CUISINE fraîches ou séchées et en poudre, les fleurs parfument soupes, fromages, les desserts lactés et à base de fruits, boissons, liqueurs, confitures et glaces

NOM BOTANIQUE
Tagete lucida, T. patula

Œillet d'Inde, tagète luisant

FLEUR grande à pétales jaune d'or et cœur orange

FLORAISON été, jusqu'aux gelées

PARFUM ET SAVEUR fort parfum balsamique, saveur atténuée

BIENFAITS en huile essentielle, élimine les parasites de la peau. Utilisée dans les cultures biologiques contre les nématodes des rosiers, tulipes, pommes de terre. À forte dose, les feuilles sont hallucinogènes

❋ EN CUISINE ajoutez les pétales frais dans les crèmes salées et épicées au fromage blanc, dans les vinaigrettes et sur les légumes crus ou cuits ; préparez les boutons en beignets

NOM BOTANIQUE
Taraxacum dens-leonis

Pissenlit, dent-de-lion

FLEUR capitule jaune vif en forme de soleil

FLORAISON du printemps à l'automne

PARFUM ET SAVEUR senteur de miel, saveur sucrée un peu amère

BIENFAITS les feuilles contiennent des vitamines A et C, et des minéraux ; elles favorisent la digestion et l'élimination des toxines du sang. L'ensemble de la plante est diurétique, d'où son nom populaire de pissenlit

❋ EN CUISINE les feuilles se cuisinent en salade, sautées ou cuites comme des épinards. Les boutons floraux agrémentent légumes cuits, salades et vinaigrettes. Les pétales parfument les salades vertes et les légumes

NOM BOTANIQUE
Tropaeolum majus

Capucine

FLEUR jaune, rouge, orange, rose, parfois blanc crème

FLORAISON juin à octobre

PARFUM ET SAVEUR odeur forte, poivrée ; saveur un peu piquante

BIENFAITS antiseptique, elle protège l'appareil respiratoire contre les bactéries, sans altérer la flore intestinale ; en infusion, elle atténue la toux, et calme les troubles génito-urinaires ; en lotion, elle tonifie les cheveux

❋ EN CUISINE crues, les fleurs parfument les salades ; cuites, elles relèvent les poissons, coquillages et crustacés. Les pétales peuvent être cristallisés au sucre. Les boutons floraux sont confits dans le vinaigre, comme des câpres

NOM BOTANIQUE
Viola odorata

Violette odorante

FLEUR violette, très parfumée

FLORAISON mars

PARFUM ET SAVEUR parfum délicieux, légèrement âcre ; saveur douce

BIENFAITS la violette réduit les inflammations des muqueuses (catarrhes), tonifie les vaisseaux sanguins et renforce l'immunité. Le sirop de fleurs est antiseptique ; celui de fleurs et feuilles combat la toux, les maux de tête et les insomnies

❋ EN CUISINE fraîches ou séchées, les fleurs parfument glaces, entremets, sirops, gelées, tisanes. Fraîches, elles agrémentent salades et farces ; confites, elles aromatisent laitages et sucre

NOM BOTANIQUE
Wistaria sinensis

Glycine de Chine

FLEUR racème pendant, de 25 à 30 cm de long, groupant des fleurs mauves et parfumées

FLORAISON mai à juin

PARFUM ET SAVEUR senteur de miel, saveur de viande cuite

BIENFAITS aucune propriété particulière

❋ EN CUISINE les grappes se préparent en beignet, à accompagner d'une sauce soja, ou bien agrémentent des sauces ou des mayonnaises

carnet

Boire la rosée de l'aurore

Déposée sur les pétales parfumés

En moi l'âme du jour

L'âme des fleurs

Leurs graines dorées

Leurs rêves d'étamines

Mon jardin est éternel,
Alice Caron Lambert

des délices

Réalisés avec des fleurs aux saveurs condimentaires, vertes ou épicées, selon un procédé culinaire très ancien qu'est le bouilli, les potages sont en fête dans les pages qui suivent. Les amuse-gueule et les hors-d'œuvre le sont aussi, subtilement renouvelés grâce à des sauces, des accompagnements fleuris : une simple poudre de fleur suffit pour transformer un mets et le rendre plus savoureux.

POTAGE À LA CAPUCINE
ET À L'ORTIE BLANCHE

Pour 6 personnes ♣ Préparation : 15 mn ♣ Cuisson : 15 mn

15 fleurs et 10 feuilles de capucine, 6 têtes d'ortie blanche avec leurs graines et feuilles (*voir* Portraits de fleurs *pp. 15, 12*) ❋ **2 pommes de terre** ❋ **2 pommes** ❋ **100 g de fromage blanc** ❋ **50 g de crème fraîche** ❋ **1 cuillerée à café de moutarde douce** ❋ **1 gros oignon** ❋ **1 petit pain de campagne** ❋ **10 cl d' huile d'arachide** ❋ **1 cuillerée à soupe de gros sel** ❋ **Sel, poivre**

Lavez les capucines et les orties, égouttez-les. Pelez 1 pomme et coupez-la en petits morceaux. Pelez l'oignon et détaillez-le finement. Épluchez les pommes de terre, lavez-les et coupez-les en petits dés.

Faites chauffer 1,5 l d'eau avec le gros sel. Ajoutez huit fleurs et six feuilles de capucine, les orties, la pomme, l'oignon et les pommes de terre.

Cuisez 8 minutes après le premier bouillon. Mixez et vérifiez l'assaisonnement.

Découpez le pain en petits morceaux et dorez-les dans l'huile chaude à la poêle.

Préparez la sauce d'accompagnement :
Dans un bol, mélangez le fromage blanc, la crème fraîche, cinq fleurs et trois feuilles de capucine hachées, la moutarde et la deuxième pomme pelée et coupée en petits morceaux. Salez et poivrez.
Versez le potage dans une soupière. Parsemez à la surface le reste de capucine. Servez avec les croûtons frits et la sauce.

FLAMMES DE CHRYSANTHÈME DANS UN POTAGE

Pour 6 personnes ❀ Préparation : 15 mn ❀ Cuisson : 15 mn

1 fleur de chrysanthème à grosse tête, bordeaux et or (*voir* PORTRAITS DE FLEURS *p. 10*) ❀ 300 g de topinambours ❀ 1 panais ❀ 2 tomates ❀ 1 gros oignon blanc ❀ 1,5 l de bouillon de volaille (à base de concentré) ❀ 1 yaourt ❀ Sel, poivre

LAVEZ LA FLEUR DE CHRYSANTHÈME et détachez les pétales. Épluchez les topinambours, lavez-les et coupez-les en morceaux. Grattez le panais et coupez-le en rondelles. Pelez les tomates et l'oignon ; coupez- les en quartiers.

DANS UNE MARMITE, faites chauffer le bouillon de volaille ; ajoutez tous les légumes et laissez cuire pendant 10 minutes.

HACHEZ FINEMENT quelques pétales de chrysanthème et mélangez-les au yaourt, dans une coupelle.

QUAND LE POTAGE EST CUIT, ajoutez les pétales de chrysanthème, salez et poivrez. Versez dans une soupière et servez avec la sauce au yaourt.

Ce n'est qu'en 1789 que Pierre Blancard rapporta de Chine à Marseille le premier exemplaire de chrysanthème. Dépassant l'Asie, la vogue du chrysanthème s'est étendue à l'Europe. Les peintres de fleurs se sont inspirés de ses tons vieil or, pourpres, bordeaux, vieux rose, havane, rouge chaudron, cuivre, jaune d'or… Les écrivains ont longtemps exalté la fleur « mikado ». En 1892, Charles Baltet notait que le chrysanthème était « un peu l'idole du jour ».

BOUILLON LI PO

Pour 6 personnes ❦ Préparation : 10 mn ❦ Cuisson : 12 mn

1 tête de chrysanthème des fleuristes (en automne) (*voir* PORTRAITS DE FLEURS *p. 10*) ❀ **1 bulbe de fenouil** ❀ **1 pomme de terre** ❀ **1 oignon blanc** ❀ **Quelques brins de ciboulette** ❀ **1 branche de citronnelle** ❀ **Le jus de 1 citron vert** ❀ **10 g de pâte de noix de coco** ❀ **1 tranche d'ananas frais** ❀ **Sel, poivre noir**

ÉPLUCHEZ la pomme de terre, lavez-la et coupez-la en petits morceaux. Pelez l'oignon, nettoyez le bulbe du fenouil et passez-les sous l'eau ; détaillez finement l'oignon et coupez le fenouil en lamelles.

LAVEZ LE CHRYSANTHÈME et détachez les pétales. Rincez la tige de citronnelle et tronçonnez-la finement.

FAITES BOUILLIR 1,5 l d'eau avec 2 cuillerées à café de sel. Mettez-y tous les légumes, la pâte de noix de coco, la citronnelle et le jus de citron. Laissez cuire 5 minutes, puis ajoutez les pétales de fleurs (réservez-en quelques-uns pour la décoration).

AJOUTEZ LA TRANCHE D'ANANAS coupée en petits morceaux. Laissez sur le feu 3 à 4 minutes supplémentaires. Vérifiez l'assaisonnement en sel, poivrez et servez décoré de pétales de ciboulette.

Li Po était un poète du VIIIe siècle très célèbre en Chine. Il chanta surtout les plaisirs du vin, de l'amitié, et la beauté des fleurs. Un soir d'ivresse, alors qu'il rêvait dans une barque flottant sur un lac, il voulut pêcher le reflet de la lune dans le miroir de l'eau. Il tomba et se noya.

Larmes de Midas
dans un bouillon

Pour 6 personnes 🌻 Préparation : 35 mn 🌻 Cuisson : 25 mn

1 fleur de tournesol, 1 fleur de carotte sauvage (*voir* PORTRAITS DE FLEURS *pp. 12, 11*) ❀ **2 blancs de poulet** ❀ **50 g de crème fraîche allégée** ❀ **1 navet** ❀ **1 carotte** ❀ **1 bulbe de fenouil** ❀ **1 oignon blanc** ❀ **1 bouquet garni (laurier, persil, thym)** ❀ **2 cuillerées à soupe de pâtes à potage** ❀ **1 cuillerée à soupe de gros sel** ❀ **Sel fin et poivre**

RINCEZ LA FLEUR DE TOURNESOL à l'eau froide, détachez les pétales et coupez le cœur en morceaux. Lavez la fleur de carotte, détachez les fleurs de l'ombelle et réservez. Lavez et coupez le fenouil en quatre. Épluchez la carotte, l'oignon et le navet ; détaillez-les en morceaux. Lavez et égouttez le bouquet garni.

FAITES CHAUFFER 1 litre d'eau dans une grande casserole. Ajoutez les blancs de poulet, les légumes, le bouquet garni, le cœur et les pétales de tournesol (réservez quelques pétales pour la décoration), le gros sel et le poivre. Faites cuire 15 minutes.

FILTREZ LE BOUILLON. Coupez le poulet en dés et réservez le au chaud, avec les légumes. Chauffez le bouillon et faites y cuire les pâtes pendant 5 minutes environ. Vérifiez l'assaisonnement.

CHAUFFEZ LA CRÈME FRAÎCHE, ajoutez les fleurs de carotte, salez et poivrez. Versez sur les légumes et le poulet, décorez de pétales et servez avec le potage.

Proposez à vos enfants de planter une graine de tournesol dans un pot et placez celui-ci au soleil. Ils seront surpris par la croissance spectaculaire de la plante, qui peut atteindre 3 mètres.

Bourrache en gaspacho

Pour 6 personnes ♣ Préparation : 25 mn ♣ Réfrigération : 1 h

3 inflorescences de bourrache (*voir* PORTRAITS DE FLEURS *p. 9*) ❀ **2 tomates** ❀ **1 concombre**
❀ **1 branche de céleri** ❀ **1 oignon blanc** ❀ **2 gousses d'ail** ❀ **1 pincée de sel de céleri** ❀
1 pincée de fenouil en poudre ❀ **Sel, poivre**

PELEZ LES TOMATES. Nettoyez et lavez la
branche de céleri. Épluchez le concombre.
Détaillez tous ces légumes en petits morceaux.
Pelez et hachez finement l'oignon et l'ail.
Lavez la bourrache et coupez-la en morceaux
(réservez quelques fleurs pour la décoration).

METTEZ TOUS LES LÉGUMES et la bourrache
dans une soupière avec 1 litre d'eau. Mixez
grossièrement la préparation. Ajoutez les épices.
Salez et poivrez. Mettez au réfrigérateur.

SERVEZ le gaspacho glacé.

La bourrache, comme la lavande, la citronnelle, la centaurée, la camomille, la coriandre, le fenouil et le thym,
préfère un sol sableux. Elle peut même prospérer dans les éboulis de pierres. Et pourtant, elle est également culti-
vée dans les jardins pour ses qualités ornementales, ainsi que pour sa saveur délicieuse. La belle aux fleurs si
bleues joue double jeu.

SOUPE AUX LARDONS ET AU BÉGONIA

Pour 6 personnes ❦ Préparation : 20 mn ❦ Cuisson : 18 mn

5 inflorescences de bégonia tubéreux rose (*voir* **PORTRAITS DE FLEURS** *p. 9*) **❦ 1 cœur de laitue ❦ Les fanes de 1 botte de radis ❦ 2 pommes de terre ❦ 1 poireau ❦ 50 g de jambon ❦ 125 g de lardons ❦ 1 oignon ❦ 1 cuillerée à soupe de gros sel, sel fin, poivre**

DÉTACHEZ ET LAVEZ LES FLEURS, les boutons et les feuilles de bégonia. Lavez le cœur de laitue, les fanes de radis et le poireau ; coupez-les grossièrement. Pelez les pommes de terre et coupez-les en cubes. Pelez l'oignon et détaillez-le en lamelles. Coupez le jambon en petits dés.

FAITES CHAUFFER 1,5 l d'eau avec le gros sel. À ébullition, ajoutez les légumes, le jambon, les boutons, feuilles et fleurs de bégonia (réservez une fleur pour la décoration). Laissez cuire pendant 12 minutes.

FAITES REVENIR les lardons dans une poêle anti-adhésive, puis ajoutez-les à la soupe. Poivrez légèrement, rectifiez l'assaisonnement en sel, versez dans une soupière, décorez avec la fleur réservée et servez, accompagné de pain de campagne.

Velouté de tomate au souci et à l'achillée

Pour 6 personnes ❧ Préparation : 15 mn ❧ Cuisson : 12 mn

1 fleur d'achillée millefeuille, 4 capitules de souci (*voir* Portraits de fleurs *pp. 8, 10*) ❀ **6 tomates** ❀ **1 oignon blanc** ❀ **3 gousses d'ail** ❀ **1 branche de thym** ❀ **1 cube de concentré de bouillon de volaille** ❀ **1 cuillerée à soupe d'huile d'olive** ❀ **Sel ,poivre**

Lavez les fleurs et enlevez les pédoncules ; récupérez les pétales et les étamines. Pelez l'oignon et l'ail, émincez-les finement. Pelez les tomates et coupez-les en quatre.

Faites chauffer 1 litre d'eau dans une marmite et, à ébullition, ajoutez le cube de concentré de bouillon de volaille, les fleurs, les tomates, l'oignon, l'ail et le thym. Laissez cuire à petits bouillons pendant 10 minutes.

Au terme de la cuisson, enlevez le thym et mixez le potage. Ajoutez l'huile d'olive. Salez et poivrez. Servez immédiatement.

En Afrique, dans la tribu Meru, le guérisseur dispose, pour soigner le tube digestif, de cinquante-six plantes. Celles-ci peuvent traiter cinq types d'affection, dont une maladie de l'estomac pour laquelle il existe trente et un remèdes. L'un d'eux est une achillée, *Achyranthes aspera*, qui soigne les brûlures d'estomac.

CRÈME DU POTAGER AU SOUCI

Pour 6 personnes ❦ Préparation : 15 mn ❦ Cuisson : 12 mn

10 soucis (*voir* PORTRAITS DE FLEURS *p. 10*) ❀ **1 poireau** ❀ **2 pommes de terre** ❀ **1 oignon** ❀ **2 cuillerées à soupe de cerfeuil haché** ❀ **Sel, poivre gris**

LAVEZ LE POIREAU et tronçonnez-le. Lavez les fleurs, après en avoir éliminé les tiges. Épluchez les pommes de terre et coupez-les en petits morceaux. Pelez l'oignon et détaillez-le grossièrement.

DANS UNE MARMITE, faites chauffer 1 litre d'eau. Ajoutez les fleurs (réservez quelques pétales pour la décoration), les pommes de terre, l'oignon et le poireau. Laissez cuire 8 minutes.

AU TERME DE LA CUISSON, salez et poivrez. Versez dans une soupière, parsemez la surface du potage de cerfeuil haché et décorez de pétales de souci.

La légende raconte que Caltha, une jeune fille grecque, était tombée amoureuse d'Apollon, le dieu du Soleil. Elle passa dès lors ses nuits à guetter le premier rayon de l'astre divin. Consumée par sa passion, elle finit par en mourir. Un souci poussa à l'endroit de sa mort.

Crème d'or à la primevère et à l'ail

Pour 6 personnes ❦ Préparation : 15 mn ❦ Cuisson : 25 mn

2 pieds de primevère acaule (*voir* PORTRAITS DE FLEURS *p. 13*) ✾ 1 gousse d'ail ✾ Quelques brins de persil ✾ 80 g de pois cassés ✾ 6 champignons de Paris ✾ 1 oignon ✾ 3 tranches de jambon blanc fumé ✾ 6 tranches de pain aux céréales ✾ 20 g de beurre salé ✾ Sel, poivre

DÉBARRASSEZ LES PIEDS DE PRIMEVÈRE de leurs mauvaises feuilles. Coupez les racines. Détachez les feuilles et les fleurs, lavez-les soigneusement à l'eau fraîche et émincez-les (réservez une feuille et six fleurs pour les toasts).

PELEZ LA GOUSSE D'AIL et émincez-la finement. Nettoyez les champignons, enlevez la base de leur pied et détaillez-les en lamelles. Pelez l'oignon et détaillez-le finement. Lavez le persil.

FAITES CUIRE LES POIS CASSÉS dans 1,5 l d'eau salée pendant 12 minutes. Ajoutez les feuilles et fleurs de primevère, l'ail, les champignons et l'oignon ; laissez cuire encore 8 minutes.

MIXEZ LA SOUPE. Salez et poivrez légèrement.

HACHEZ LE JAMBON avec le persil et la feuille de primevère réservée. Grillez les tranches de pain dans un toaster, puis beurrez-les. Tartinez-les de jambon persillé. Décorez-les des fleurs de primevère et servez-les avec la soupe.

Les fleurs de primevère macérées dans du vin donnent une boisson à la saveur forte et agréable, considérée au Moyen Âge comme un philtre d'amour. Avis aux amoureux déçus…

Soupe fleurie au poulet

Pour 6 personnes ❦ Préparation : 20 mn ❦ Cuisson : 45 mn à 1 h

2 cuillerées à café de poudre de reine-des-prés (ou 2 inflorescences), 3 ombelles de carotte sauvage (*voir* Portraits de fleurs *pp. 14, 11*) ❀ **1 poulet** ❀ **2 carottes** ❀ **2 navets** ❀ **1 poireau** ❀ **1 oignon** ❀ **1 pincée de poudre de piment de Cayenne** ❀ **Gros sel** ❀ **2 cuillerées à soupe de tapioca** ❀ **2 cuillerées à soupe de crème fraîche** ❀ **1 jaune d'œuf** ❀ **1 cuillerée à café de vinaigre balsamique** ❀ **2 clous de girofle** ❀ **1 feuille de laurier** ❀ **2 branches de thym**

Lavez les fleurs de carotte (réservez quelques feuilles et fleurs pour la décoration). Dans une grande marmite, faites chauffer 3 litres d'eau avec 1 cuillerée à soupe de gros sel, la poudre de reine-des-prés, l'oignon pelé et piqué des clous de girofle, le laurier, le thym, les fleurs de carotte ficelées en bouquet et le piment.

Faites cuire le poulet dans le bouillon pendant 30 à 45 minutes, selon sa taille.

Pelez les carottes et les navets, lavez-les et tronçonnez-les. Nettoyez le poireau et coupez-le en quatre morceaux. Ajoutez ces légumes dans le bouillon et laissez cuire encore 12 minutes.

Égouttez le poulet et les légumes, et réservez-les au chaud. Vous les servirez en deuxième plat.

Filtrez le bouillon, versez-y le tapioca et laissez cuire pendant 5 minutes.

Incorporez la crème fraîche délayée dans le jaune d'œuf et le vinaigre balsamique. Versez dans une soupière et décorez avec quelques fleurs de carotte.

Clubs sandwichs
aux fleurs aromatiques

Pour 4 à 6 personnes 🌻 Préparation : 15 mn

1 fleur de monarde, 1 fleur d'œillet d'Inde, 1 fleur de souci, 1 fleur d'aster bleu, 1 fleur de bleuet séchée (*voir* Portraits de fleurs *pp. 12, 14, 10, 8, 10*) 🌸 **3 tranches épaisses de pain de mie** 🌸 **50 g de terrine de foie de volaille** 🌸 **50 g de fromage de chèvre frais** 🌸 **50 g de beurre d'écrevisse** 🌸 **4 grains de raisin** 🌸 **4 cerneaux de noix** 🌸 **4 olives dénoyautées** 🌸 **Quelques brins de ciboulette et de persil plat**

Écroûtez le pain de mie et découpez-y quinze carrés de 2 à 3 cm de côté. Tartinez-en cinq de terrine de foie de volaille, cinq autres de fromage de chèvre et cinq autres de beurre d'écrevisse.

Lavez les fleurs, la ciboulette et le persil. Épongez-les soigneusement.

Sur une pique en bois, enfilez, en les alternant, les cerneaux de noix, les pétales de monarde, de bleuet, un peu de persil et les canapés à la terrine de foie de volaille.

De la même manière, associez les olives, un peu de persil, les pétales d'œillet d'Inde et de souci, et les canapés au beurre d'écrevisse.

Recommencez l'opération avec les pétales d'aster, un peu de ciboulette, les grains de raisin et les canapés au fromage de chèvre.

L'œillet d'Inde *Tagete patula* était utilisé au Mexique, au cours des cérémonies, pour ses propriétés hallucinogènes. Les Aztèques l'administraient aux victimes des sacrifices religieux, afin de les rendre moins sensibles à la douleur.

Bouchées à la roquette

Pour 4 à 6 personnes ❦ Préparation : 20 mn ❦ Cuisson : 8 à 10 mn

12 inflorescences de roquette (*voir* PORTRAITS DE FLEURS *p. 11*) ❦ **200 g de pâte feuilletée ❦ 150 g de jambon de pays ❦ 1 jaune d'œuf ❦ 2 tranches de pain de mie ❦ 25 cl de lait ❦ 1 cuillerée à soupe d'huile ❦ Sel, poivre**

LAVEZ LES FLEURS et mettez-les à sécher sur du papier absorbant. Faites chauffer le lait et mettez-y le pain de mie à tremper. Lorsque celui-ci est bien imbibé, égoutez-le et écrasez-le ; réservez le lait.

HACHEZ LE JAMBON. Mélangez-le avec à la mie de pain, le jaune d'œuf et les fleurs (réservez-en quelques-unes pour la décoration). Salez et poivrez. Préchauffez le four à 220 °C.

ÉTALEZ LA PÂTE FEUILLETÉE. Découpez-y des petits ronds de 3 cm de diamètre. Déposez sur chaque rond de pâte une noix de la préparation, puis ramenez les bords au centre pour former une petite bourse.

BADIGEONNEZ LES BOUCHÉES avec un peu de lait. Disposez-les sur la plaque du four huilée et faites les cuire 8 à 10 minutes, en surveillant la cuisson.

SORTEZ LES BOUCHÉES DU FOUR, piquez une fleur de roquette sur le dessus et servez chaud, à l'apéritif.

Depuis l'Antiquité, la roquette (*Eruca sativa*) est appréciée pour sa saveur particulière, à la fois rafraîchissante et piquante. Elle est l'élément indispensable d'un mesclun de qualité. Son pédoncule a un goût de noisette, ses fleurs ont une saveur semblable à celle des feuilles, mais en plus doux.

PETITES BROCHETTES
AUX PÉTALES DE ROSE

Pour 4 à 6 personnes ❦ Préparation : 25 mn ❦ Cuisson : 6 mn

1 rose rouge, 1 rose rose, 1 rose jaune (*voir* PORTRAITS DE FLEURS *p. 13*) ❀ 200 g de gigot d'agneau coupé en cubes ❀ Le jus de 3 citrons ❀ Quelques feuilles de menthe ❀ 1 cuillerée à soupe d'huile d'olive ❀ 6 petits oignons blancs ❀ 3 pincées de poudre de rose séchée ❀ Sel, poivres mélangés du moulin

PRÉCHAUFFEZ LE GRIL du four à 220 °C. Pelez les oignons et coupez-les en deux. Lavez la menthe et les roses ; épongez-les.

DANS UNE ASSIETTE, mélangez le jus de citron, la poudre de rose et l'huile d'olive. Salez et donnez trois tours de moulin à poivre.

ENFILEZ les morceaux de viande sur des piques à brochettes et trempez-les dans le jus de citron. Cuisez-les sous le gril du four pendant 6 minutes, en les retournant à mi-cuisson.

LAISSEZ LA VIANDE REFROIDIR, puis confectionnez les brochettes : enfilez sur des piques en bois un morceau de viande cuite, un pétale de rose, un demi-oignon et une feuille de menthe, en jouant avec les couleurs des pétales de rose.

METTEZ AU FRAIS jusqu'au moment de servir. Acompagnez du jus de citron agrémenté de quelques pétales de rose coupés en lamelles.

Rosa Gallica officinalis, la rose officinale ou rose de Provins, est populaire depuis le Moyen Âge. Le parfum de ses fleurs semi-doubles, d'un rose profond tirant sur le rouge, augmente après séchage. On en extrait l'eau de rose.

CRÈME AUX FLEURS
ET PETITS LÉGUMES CRUS

Pour 6 à 8 personnes ❦ Préparation : 10 mn

2 inflorescences de colza, 2 inflorescences de moutarde noire (*voir* PORTRAITS DE FLEURS *pp. 9, 10*) ❀ **50 g de crème fraîche épaisse** ❀ **125 g de fromage blanc battu à 0 %** ❀ **50 g de pignons** ❀ **1 petit oignon blanc** ❀ **1 cuillerée à café de moutarde forte** ❀ **Assortiment de légumes crus (brocolis, tomate, céleri, radis...)** ❀ **Sel, poivres mélangés du moulin**

LAVEZ ET ÉGOUTTEZ les inflorescences sur un papier absorbant. Détachez les fleurs et les jeunes feuilles. Hachez les feuilles et mélangez-les aux fleurs (réservez quelques fleurs pour la décoration).

PELEZ L'OIGNON et détaillez-le finement. Dans une jatte, mélangez-le avec le fromage blanc, la crème fraîche, la moutarde et les pignons. Salez, poivrez, puis incorporez le mélange de fleurs et de feuilles.

DÉCOREZ LA CRÈME avec quelques fleurs et présentez-la en accompagnement des légumes crus détaillés en bâtonnets, petits bouquets, tranches, etc.

Colza et moutarde noire cohabitent souvent dans la nature. Le colza a tendance à essaimer en dehors des champs, et il faut le préférer à celui des zones cultivées soumis à de nombreux traitements chimiques. La moutarde noire se développe spontanément sur les talus. Son port est plus rigide et son feuillage plus rêche que celui du colza, aux feuilles tendres et vert grisé. La saveur du colza est suave, mellifère, tandis que celle de la moutarde est poivrée. Associées, les deux espèces forment un duo savoureux.

ENCORNETS FARCIS AUX DAHLIAS

Pour 6 personnes ♟ Préparation : 20 mn ♟ Cuisson : 10 mn

4 fleurs de dahlia (*voir* PORTRAITS DE FLEURS *p. 11*) ❀ **6 encornets moyens** ❀ **150 g de fromage blanc battu** ❀ **150 g de petites crevettes roses cuites** ❀ **Le jus de 1 citron** ❀ **1/3 cuillerée à café de gingembre en poudre** ❀ **Quelques brins de persil plat** ❀ **1 bouquet de ciboulette** ❀ **1 bouquet garni** ❀ **Sel, poivre gris fin**

NETTOYEZ LES ENCORNETS sous l'eau après les avoir vidés et débarrassés des parties cartilagineuses, des yeux et de la tête.

LAVEZ LES FLEURS et détachez les pétales de 3 dahlias. Lavez et hachez le persil et la ciboulette. Réservez.

PRÉPAREZ UN COURT-BOUILLON avec 1 litre d'eau, le bouquet garni, le dahlia entier, le gingembre, du sel et du poivre. Faites-y cuire les encornets 25 minutes à feu moyen. Égouttez et laissez refroidir.

MÉLANGEZ AU FROMAGE BLANC les deux tiers des pétales de dahlia et du hachis de persil et de ciboulette. Ajoutez les crevettes, versez le jus de citron, salez, poivrez et mélangez encore.

GARNISSEZ LES ENCORNETS avec cette préparation. Décorez avec le reste des pétales de dahlia et du hachis de ciboulette et de persil.

Le dahlia doit son nom à Dahl, botaniste suédois et élève de Linné, qui l'a rapporté du Mexique en Europe. Il s'agissait du *Dahlia variabilis*, assez petit, composé d'un centre jaune et d'un seul rang de pétales en corolle, d'un rouge écarlate sombre et velouté. Ce dahlia apparaît au jardin botanique de Madrid en 1789.

Paniers d'Athéna

Pour 6 personnes ❧ Préparation : 25 mn

4 fleurs de bégonia tubéreux de différentes couleurs (*voir* Portraits de fleurs *p. 9*) ❀ 6 tomates ❀ 3 avocats mûrs ❀ Le jus de 4 citrons verts ❀ 1 petite boîte de miettes de crabe ❀ 1 gros bouquet de persil ❀ Quelques brins de ciboulette ❀ Sel, quelques grains de poivre vert concassés

Pelez et dénoyautez les avocats, et réduisez la pulpe en purée. Incorporez le jus de citron. Salez et poivrez.

Lavez les fleurs de bégonia et hachez quatre d'entre elles. Ajoutez-les, ainsi que le crabe, à la purée d'avocat.

Lavez les tomates et découpez un couvercle sur le dessus. Évidez-les soigneusement. Saupoudrez l'intérieur de sel et farcissez-les de la préparation. Avec un brin de ciboulette, formez une petite anse. Garnissez les bords de persil. Ajustez le couvercle à l'arrière.

Garnissez un plat de service de persil. Déposez dessus les petits paniers. Décorez avec le reste des fleurs de bégonia.

Variante
Vous pouvez modifier la garniture des tomates en mélangeant des légumes cuits et coupés en petits morceaux à de la mayonnaise, ou bien encore des morceaux de melon à du jambon de Bayonne émincé.

Selon leur couleur, la saveur des bégonias tubéreux varie : le blanc est acidulé et doux, le rose un peu plus relevé, le jaune pique légèrement et le rouge évoque un petit piment. Les bégonias de 15 à 20 cm, à petites fleurs et racines fibreuses, cultivés dans les massifs, ont une saveur acidulée rafraîchissante. On les mange généralement crus.

ARTICHAUTS FLEURIS

Pour 6 personnes ♀ Préparation : 15 mn

10 fleurs de fuchsia (*voir* PORTRAITS DE FLEURS *p. 12*) ❀ **6 fonds d'artichaut surgelés ❀ 120 g de foie gras d'oie mi-cuit** ❀ **6 belles feuilles de laitue** ❀ **1 petit bouquet de persil frisé** ❀ **2 cuillerées à soupe de vinaigre de vin de Xérès** ❀ **2 cuillerées à soupe d'huile de maïs** ❀ **1 cuillerée à café de moutarde forte de Dijon** ❀ **Sel, quelques grains de poivre vert**

FAITES TREMPER LES FONDS D'ARTICHAUT décongelés dans de l'eau tiède salée. Lavez les fleurs, le persil et les feuilles de laitue. Épongez-les soigneusement.

PRÉPAREZ UNE VINAIGRETTE avec le vinaigre, l'huile, la moutarde, un peu de sel et le poivre vert. Hachez quatre fleurs et ajoutez-les à la vinaigrette.

HACHEZ LE PERSIL. Disposez les feuilles de laitue sur un plat de service. Sortez le foie gras du réfrigérateur et découpez-y, à l'aide d'une lame trempée dans de l'eau chaude, six médaillons.

DÉPOSEZ UN FOND D'ARTICHAUT sur chaque feuille de laitue. Versez dessus un filet de vinaigrette. Disposez sur chaque fond d'artichaut un médaillon de foie gras. Décorez le pourtour avec le persil haché et une fleur de fuchsia.

SERVEZ AUSSITÔT ou mettez au frais.

Comme autant de clochettes couleur de corail, les myriades de fleurs des buissons de fuchsias des îles de Jersey et de Guernesey, émerveillent par leur vigueur et leur beauté. C'est au XVIᵉ siècle que Leonhart Fuchs, botaniste allemand, cueillit quelques spécimens de cette espèce sous les ombrages des forêts chiliennes et les rapporta en Europe.

RAVIOLES DE PRINTEMPS

Pour 6 à 8 personnes ❦ Préparation : 1 h ❦ Cuisson : 20 mn

15 fleurs de coucou, 15 fleurs de primevère acaule et quelques jeunes feuilles (*voir* PORTRAITS DE FLEURS *p. 13*) ❀ **1 petit fromage de chèvre frais** ❀ **80 g de beurre** ❀ **450 g de farine** ❀ **150 g de parmesan râpé** ❀ **25 cl de bouillon aux herbes** ❀ **2 pincées de noix muscade** ❀ **2 œufs** ❀ **1/3 cuillerée à soupe d'huile de soja ou de colza** ❀ **Sel, poivre**

PRÉPAREZ LA PÂTE : versez 400 g de farine sur un plan de travail. Formez un puits et cassez-y les œufs, puis ajoutez l'huile et 4 g de sel. Mélangez et travaillez la pâte à la main pendant 15 minutes, puis laissez-la reposer 20 minutes sous un linge.

PRÉPAREZ LA FARCE : lavez les fleurs et feuilles, puis hachez-les (réservez quelques fleurs pour la décoration). Dans un bol, écrasez le fromage de chèvre ; incorporez le hachis de fleurs et feuilles, salez et poivrez.

CONFECTIONNEZ LES RAVIOLES : étendez la pâte au rouleau sur une surface farinée. À l'aide d'un emporte-pièce de 4 à 6 cm de diamètre, découpez-y des ronds. Posez sur chacun d'eux une petite noix de farce et fermez-les par une pression des doigts. Faites cuire les ravioles dans de l'eau bouillante salée pendant 5 minutes. Égouttez-les bien et versez-les dans un plat à gratin.

PRÉPAREZ LA BÉCHAMEL : chauffez le bouillon. Faites fondre le beurre dans une casserole. Versez-y 40 g de farine et mélangez bien. Mouillez peu à peu avec le bouillon, sans cesser de tourner, jusqu'à obtenir une sauce épaisse. Ajoutez la noix muscade et le parmesan. Salez et poivrez.

NAPPEZ LES RAVIOLES de béchamel et faites gratiner au four quelques minutes. Au moment de servir, décorez avec les fleurs réservées.

PRINTANIÈRE DE LÉGUMES AUX BÉGONIAS

Pour 4 personnes ♀ Préparation : 30 mn

5 fleurs de bégonia (*Begonia gracilis*) rose ou blanc, 2 fleurs de bégonia tubéreux (1 rose et 1 rouge) (*voir* PORTRAITS DE FLEURS *p. 9*) ❀ 1 boîte 1/2 de macédoine de légumes ❀ 1 gros pamplemousse (vert si possible) ❀ 1 petit oignon blanc ❀ 20 cl d'huile de maïs ❀ 1 jaune d'œuf ❀ 2 cuillerées à café de moutarde forte ❀ Quelques brins de persil ❀ Sel, poivre

LAVEZ, SÉCHEZ ET ÉMINCEZ les fleurs (réservez-en une pour la décoration). Lavez et hachez le persil. Pelez et émincez l'oignon.

PRÉPAREZ UNE MAYONNAISE : délayez le jaune d'œuf avec la moutarde, puis versez l'huile en filet. Fouettez la préparation jusqu'à ce qu'elle soit bien ferme. Salez et poivrez. Ajoutez l'oignon, les bégonias et le persil.

LAVEZ LE PAMPLEMOUSSE, découpez sur le dessus un chapeau et réservez-le. Prélevez à la cuiller la chair du pamplemousse, puis coupez-la en petits morceaux.

RINCEZ LES LÉGUMES à l'eau tiède et égouttez-les. Dans un saladier, mélangez les légumes, la chair du pamplemousse et la mayonnaise.

FARCISSEZ L'ÉCORCE DE PAMPLEMOUSSE avec la préparation. Ajustez le couvercle et décorez avec la fleur réservée.

Le bégonia doit son nom à Bégon, intendant général de Saint-Domingue au XVIIᵉ siècle. Ce genre, qui regroupe plus de 500 espèces, est originaire des régions montagneuses d'Amérique du Sud. Il existe des bégonias à petites fleurs, à souche fibreuse, d'autres à plus grandes fleurs, qui donnent de nombreux hybrides. Le *Begonia rex*, à souche tubéreuse, a de belles fleurs en forme de rose.

AVOCATS À LA GLYCINE

Pour 6 personnes ❦ Préparation : 30 mn

2 grappes de glycine (*voir* PORTRAITS DE FLEURS *p. 15*) ❋ 3 avocats ❋ 1 jaune d'œuf ❋ 1 verre d'huile de maïs ❋ 1 cuillerée à café de moutarde forte ❋ Le jus de 1/2 citron ❋ 1 oignon blanc ❋ 1/4 cuillerée à café de curry en poudre ❋ 1 carotte ❋ 1 cuillerée à soupe de persil haché ❋ Sel, poivre

PRÉPAREZ UNE MAYONNAISE : mélangez le jaune d'œuf avec la moutarde. Versez progressivement l'huile, en battant énergiquement au fouet, jusqu'à ce que la sauce soit bien ferme. Ajoutez le jus de citron.

GRATTEZ ET RÂPEZ LA CAROTTE. Incorporez-la à la mayonnaise, ainsi que le persil et le curry. Salez et poivrez.

LAVEZ LES GRAPPES DE GLYCINE et détachez les fleurs de la tige. Ajoutez-les à la préparation (réservez-en pour la décoration).

OUVREZ LES AVOCATS en deux. Dénoyautez-les et remplissez-les de la préparation. Décorez avec les fleurs réservées.

VARIANTE
Vous pouvez réaliser cette recette avec les fleurs d'acacia, au goût de pois.

En Chine, on apprécie beaucoup les fleurs de glycine, notamment accompagnées de sauce soja.

Minipâtés de mars

Pour 6 personnes ❦ Préparation : 30 mn ❦ Cuisson : 3 mn ❦ Réfrigération : 2 h

10 fleurs d'ail des ours et quelques tiges, 10 boutons floraux de pissenlit, 1 cuillerée à café de bleuet séché, 1 cuillerée à café de violette odorante séchée (*voir* PORTRAITS DE FLEURS *pp. 8, 14, 15*) ❀ **1 bouquet de cerfeuil** ❀ **150 g d'épinards frais** ❀ **2 cuillerées à soupe de crème fraîche épaisse** ❀ **150 g de champignons de Paris** ❀ **Le jus de 1 citron** ❀ **3 échalotes** ❀ **Sel, poivre**

LAVEZ LES ÉPINARDS. Faites-les cuire à l'eau bouillante salée pendant 3 minutes. Essorez-les, hachez-les, salez et poivrez.

LAVEZ LE CERFEUIL et les fleurs fraîches. Hachez le cerfeuil avec les tiges d'ail des ours.

NETTOYEZ LES CHAMPIGNONS de Paris et coupez l'extrémité des pieds. Hachez grossièrement les pieds et les chapeaux.

PELEZ LES ÉCHALOTES et hachez-les finement. Mélangez-les avec les champignons, le hachis de cerfeuil, les fleurs fraîches ou en poudre (réservez quelques fleurs pour la décoration), les épinards, le jus de citron et la crème fraîche. Salez et poivrez.

REMPLISSEZ SIX RAMEQUINS avec la préparation. Mettez-les au réfrigérateur pendant 2 heures au moins. Démoulez avant de servir et décorez-les avec les fleurs réservées (ou autres fleurs de saison).

La fleur du pissenlit s'ouvre invariablement à 5 heures du matin pour se refermer à la tombée du jour. En Suisse, pays des horloges, on compte plus de 150 noms pour la désigner.

Bonnes adresses

LES FLEURS COMESTIBLES présentées dans cet ouvrage poussent sous nos climats, sauvages (montagnes, prairies, bords des chemins, berges, talus, friches, forêts, sous-bois...) ou cultivées (jardins, champs...). Vous les trouverez donc dans la nature, ou vous pourrez les planter dans votre jardin ou sur votre balcon. Certaines espèces cultivées sont commercialisées. Elles sont vendues en pot dans les jardineries, en barquette ou en sachet sur les marchés, dans les grandes surfaces, dans les boutiques spécialisées ou d'épicerie fine. Quelques-unes sont également disponibles, séchées, dans les pharmacies et herboristeries. Vous trouverez ci-dessous une liste de bonnes adresses qui vous permettront de faire vos achats en toute sérénité.

❀ LES RAYONS FRAIS
DES GRANDES SURFACES
(fleurs comestibles fraîches
en barquette)

❀ ÉTABLISSEMENTS BUTET
(fleurs comestibles fraîches
en barquette)

32, rue Angers
94150 Rungis
Tél. : 01 41 73 29 70

❀ ÉPICERIES FINES
DES GRANDS MAGASINS
(limonades, alcools, sirops, miels,
confiseries, moutarde)

❀ HERBORISTES · PHARMACIENS

❀ FERME DE GALLY
(fleurs séchées, sirops de fleurs,
essences florales)

78210 Saint-Cyr-l'École
Tél. : 01 34 60 63 30

❀ ÉPICERIE GOUMANYAT
ET SON ROYAUME
(produits à base de fleurs)

7, rue de La Michodière
75002 Paris
Tél. : 01 42 68 09 71

❀ AU NOM DE LA ROSE
(essences florales)

46, rue du Bac
75007 Paris
Tél. : 01 42 22 22 12

❀ PHILO ET CAPUCINE
(produits à base de fleurs)

18, avenue du Maréchal-
de-Lattre-de-Tassigny
La Hume
33470 Gujan-Mestras
Tél. : 05 57 73 09 85

❀ FIAP JEAN MONNET
(Foyer international d'accueil
de Paris, pour apprendre
à connaître les vertus des
essences florales contemporaines)

30, rue Cabanis
75014 Paris
Tél. : 01 43 13 17 17
ou 01 43 13 17 00

❀ ANTOINE ET LILI
(produits à base de fleurs)

95, quai de Valmy
75010 Paris
Tél. : 01 40 37 34 86

❀ LA DAME DU CABANON
(sirops et limonades, thés
et biscuits aux fleurs)

34, rue Franklin
69002 Lyon
Tél. : 04 78 38 05 82

FLEURS NON COMESTIBLES

Aconit napel
Aconitum napellus

Actée en épi
ou Herbe de Saint-Christophe
Actæa spicata

Adonis d'été
ou Goutte de sang
Adonis œstivalis

Anagyre fétide *ou* Bois Puant
Anagyris foetida

Ancolie
Aquilegia vulgaris

Anémone des bois
Anemone nemorosa

Arisarum
Arisarum vulgare

Aristoloche
Aristolochia Clematitis

Arnica
Arnica montana

Arum tacheté
Arum maculatum

Belladone
Atropa Belladonna

Bourdaine
Rhamnus Frangula

Bryone *ou* Navet du diable
Bryonia dioica

Chardon à glu
Atractylis gummifera

Calla des marais
Calla palustris

Chélidoine *ou*
Herbe aux verrues *ou* Éclaire
Chelidonium majus

Chèvrefeuille des haies
Lonicera Xylosteum

Ciguë vireuse aquatique
Conium virosa

Petite ciguë
Æthusa Cynapsium

Grande ciguë
Conium maculatum

Clématite des haies
Clematis Vitalba

Colchique
Colchicum autumnale

Cornouiller sanguin
Cornus sanguinea

Coronille
Coronilla varia

Corroyère *ou* Redoul
Coriaria myrtifolia

Corydale digitée
Corydalis solida

Cyclamen *ou*
Pain de Pourceaux
Cyclamen europœum

Cytise *ou* Aubour
Cytisus Laburnum

Daphné *ou* Bois gentil,
Morillon
Daphne Mezereum

Datura
Datura Stramonium

Dauphinelle, Consoude
ou Pied d'alouette
Delphinium Consolida

Digitale pourpre
Digitalis purpurea

Euphorbe
Euphorbia

Faux narcisse
Narcissus Pseudo-Narcissus

Fritillaire *ou* Pintade
Fritillaria Meleagris

Fusain *ou* Bonnet d'Évêque,
Bonnet de prêtre, Bois carré
Euonymus europœus

Genêt d'Espagne
Spartium junceum

Giroflée jaune
Cheiranthus Cheiri

Globulaire
Globularia Alypum

Gratiole
Gratiola officinalis

Gui
Viscum album

Héliotrope
Heliotropium europœum

Hellébore
ou Pied de griffon
Helleborus foetidus

Houx
Ilex Aquifolium

Iris des marais *ou* Iris jaune
Iris Pseudacorus

Laurier du Portugal
Prunus lusitanica

Laurier rose *ou* Oléandre
Nerium Oleander

Lierre
Hedera Helix

Lupin
Lupinus angustifolius

Maïenthème
Maianthemum bifolium

Morelle douce-amère
Solanum Dulcamara

Mouron des champs
Anagalllis arvensis

Muflier
Antirrhinum Majus

Muguet
Convallaria majalis

Nerprun cathartique
Rhamnus cathartica

Nielle des blés
Agrostemma Githago

Nivéole-Perce-Neige
Leucoium vernum

Œnanthe safranée
ou Pensacre
œnanthe crotaca

Ornithogale
Ornithogalum umbellatum

Pancracis maritime
(pancratium maritime)
Pancratium maritimum

Parisette
Paris quadrifolia

Pédiculaire
Pedicularis

Perce-neige
Galanthus nivalis

Pulsatille *ou*
Anémone pulsatille,
Anemone Pulsatilla

Renoncule *ou* Bouton d'or
Ranunculus acris

Rhododendron
Rhododendron ferrugineum

Ricin *ou* Palma Christi
Ricinus communis

Sceau de Salomon
Polygonatum officinale

Scille maritime
Urginea maritima

Séneçon commun
Senecio vulgaris

Sureau yèble *ou* Petit sureau
Sambucus Ebulus

Troène d'Europe
Ligustrum vulgare

Trolle *ou* Boule d'or
Trollius europœus

Vélar
Erysimum cheiranthoides

Vératre blanc
Veratrum album

INDEX DES RECETTES

Remerciements

✽ ✽

ATELIER N'O 21, rue Daumesnil, 75012 Paris

BLANC D'IVOIRE 104, rue du Bac, 75006 Paris

CASA 50, rue de Passy, 75016 Paris

COMPAGNIE FRANÇAISE DE L'ORIENT ET DE LA CHINE 167, boulevard Saint-Germain, 75006 Paris

CONSTANCE MAUPIN, ART DE LA TABLE, DÉCOR DE LA MAISON 11, rue du Docteur- Goujon, 75012 Paris

LE COUTELIER DE LAGUIOLE 13, rue Abel, 75012 Paris

CRÉATIONS MATHIAS, 117 rue de Charenton, 75012 Paris

FRAGONARD 196, boulevard Saint-Germain, 75007 Paris

L'ÎLE DE LA TORTUE 3 rue Guichard, 75116 Paris

LE JARDIN D'OLARIA 5, rue de Médicis, 75006 Paris

LALIQUE 11, rue Royale, 75008 Paris

JEAN CLARENCE LAMBERT

MICHÈLE ET JEAN-CLAUDE LAMONTAGNE,
photos ail des ours (p. 8), carotte sauvage (p.11), coucou (p.13) et reine-des-prés (p. 14)

LEGRAND FILLES ET FILS 1, rue de la Banque, 75002 Paris

LA MAISON COLONIALE 94, avenue du Maine, 75014 Paris

LA MAISON IVRE 38, rue Jacob, 75006 Paris

MAISON THUILLIER 8, place Saint-Sulpice, 75006 Paris

MAT-FLOR 182, avenue des Pépinières, BP 500, 94648 Rungis Cedex

MIS EN DEMEURE 27, rue du Cherche-Midi, 75006 Paris

MUJI Caroussel du Louvre, 99, rue de Rivoli, 75001 Paris

OLARIA 30, rue Jacob, 75006 Paris

LES OLIVADES 1, rue de Tournon, 75006 Paris

LES OLIVADES 21, avenue Niel, 75017 Paris

PALAIS ROYAL 13, rue des Quatre-Vents, 75006 Paris

NICOLE PHILIPPE

QUIMPER FAÏENCE 84, rue Saint-Martin, 75004 Paris

SAILLARD 8, rue de Richelieu, 75001 Paris

SIÈCLE 24, rue du Bac, 75007 Paris

✽ ✽